Dirección y coordinación editorial | Editorial direction and coordination
Felisa Martínez
Textos | Texts
Martín Comamala
Fotógrafo | Photographer
Roberto Ruíz
Fotógrafos invitados | Guest Photographers
Ariel Mendieta, Nicolás Foong
Editor fotográfico | Photograph editor
Roberto Ruíz
Retoque de imágenes | Photo retouching
Leonel De Ritis
Diseño y diagramación | Design and layout
Inspiron Estudio Creativo | www.inspirondg.com.ar
Corrección de textos | Texts correction
Sabrina Comamala
Traducción al inglés | English translation
Melisa Di Tullio

© Copyright Edifel Libros 2010
Tel.: (54-11) 4371-4424, Cel.: 011-1540557608
www.edifellibros.com.ar | info@edifellibros.com.ar | edifellibros@yahoo.com.ar

Comamala, Martín Gabriel
    Tango / Martín Gabriel Comamala ; coordinado y dirigido por Felisa Martínez.
    - 1a ed. - Buenos Aires : Edifel Libros, 2010.
    144 p. : il. ; 21x21 cm.

    Traducido por: Melisa Di Tullio
    ISBN 978-987-22147-5-3

    1. Turismo. I. Martínez, Felisa, coord. II. Martínez, Felisa, dir. III. Di Tullio, Melisa, trad.
    IV. Título
    CDD 338.479 1

    Fecha de catalogación: 04/03/2010

Tango

Español | English

Buenos Aires
Gobierno de la Ciudad

Con el auspicio del Ministerio de Cultura del Gobierno
de la Ciudad Autónoma de Buenos Aires.
Resolución Nº 903.

Índice / Index

La historia

The history

Los comienzos

La historia es la ciencia que estudia los acontecimientos del pasado relativos a los grupos humanos, detalla fechas, nombres, sucesos memorables y estilos sociales de una o más generaciones. El arte es una actividad creativa que consiste en transformar y combinar materiales, imágenes o sonidos con el fin de transmitir una idea que produzca un efecto estético. Música, danza y poesía son expresiones artísticas que se manifiestan en el Tango y que revelan la entrañable esencia de un pueblo. El Tango es un amor que se fue, es la nostalgia del exilio o la melancolía sembrada por el barrio amado que cambió, es la desdicha de la soledad, es la gesta cultural de una sociedad que irradia la apasionante historia de las ciudades del Plata narrada por el suspiro de un bandoneón.

Para emprender y comprender el largo viaje hacia las raíces del Tango es necesario analizar etimológicamente su nombre. Dentro de las lenguas africanas es posible encontrar varias acepciones, en una de ellas significa "tocar" o "palpar", voz que también designó posteriormente al instrumento de percusión (tambor) llamado tan–gó, el mismo dio nombre al baile practicado al ritmo de su sonido. En latín procede de *tactum*, que representa tocar algo o a alguien y *tangere*, que significa tocar un instrumento. En la cultura japonesa refiere a una región y a una fiesta nacional.

Las influencias musicales que el Tango adopta como inspiración provienen de melodías de origen africano,

The beginnings

History is the science that studies past events in connection with groups of people; it specifies dates, names, memorable facts and social styles of one generation or more. Art is a creative activity that consists in transforming and arranging materials, images or sounds with the purpose of transmitting an idea that produces an aesthetic effect. Music, dance and poetry are artistic expressions disclosed in Tango that reveal the inner essence of a town. Tango is a love that is gone, the nostalgia of exile or the melancholy of a beloved neighborhood that has changed; it is the disgrace of loneliness, the cultural breed of a society that gives off the passionate story of the cities by the Río de la Plata, told by the sigh of a *bandoneón* (large accordion).

In order to begin and understand the long journey to the roots of Tango, it is necessary to analyze its name from an etymological point of view. Within the African languages, it is possible to find several meanings, one being "to touch" or "to palpate", which also named later the percussion instrument (drum) called tan-gó, the same that gave its name to the dance practiced to the rhythm of its sound. Tango further derives from the Latin word *tactum*, which means to touch something or somebody and from *tangere*, which means to play an instrument. In Japanese culture, it refers to a region and to a national holiday.

The musical influences that Tango adopts as inspira-

◄ **(P. 9) Huelguistas bailando Tango a orillas del Río de la Plata**
Strikers dancing Tango by the side of the Río de la Plata

Gauchos reunidos en el rancho de una estancia, 1860
Gauchos gathered in a farmhouse´s ranch, 1860

que entre 1850 y 1890 dominaban la escena en Buenos Aires. Las habaneras cubanas, los tangos andaluces y las milongas se entrelazaban rítmicamente y compartían el gusto popular de quienes se acercaban a escuchar y a bailar en los salones de la ciudad. La habanera surge en Cuba como una composición que superpone cadencias de la música española con ritmos africanos. Al igual que la habanera, el tango andaluz se basa en una combinación de tonos mayores y menores. La milonga se inicia de forma contemporánea a la habanera, compartiendo la métrica y la estremecedora fuerza del candombe, pero con el inconfundible sello del folklore local. De esta forma, entre sonidos y danzas semejantes, se perfila el nacimiento del verdadero Tango argentino.

La aparición del Tango se ubica dentro de un contexto histórico en que gran parte de la población criolla se constituía de inmigrantes europeos, en su mayoría italianos y españoles que llegaban al país en búsqueda

tion come from African-origin melodies that, between 1850 and 1890, ruled the scene of Buenos Aires. Cuban *habaneras*, Andalusian tangos and *milongas* were rhythmically entangled, sharing the popular taste of those who gathered to listen and dance in the city saloons. The *habaneras* originated in Cuba as a composition that over-lapses Spanish music cadences with African rhythms. Like the *habaneras*, the Andalusian tango is based on a combination of minor and major tones. The *milonga* was initiated simultaneously with the *habanera*, sharing the metric and the striking force of *candombe* (African-influenced dance), but with the unconfusing mark of local folklore. Thus, amid similar sounds and dances, the birth of the true Argentine Tango is shaped.

The coming up of Tango is set in a historical background in which most of the creole population consisted of European immigrants, most of Italian and Spanish origin that arrived at the country in pursuit

Inmigrantes en el patio de un conventillo, La Boca, siglo XIX
Immigrants in the backyard of a *conventillo*, La Boca, 19 st Century

▶ **(P. 12) Carruajes en la calle Florida**
Carts in Florida Street

▶ **(P. 13) Café y billar El Trompezón, c. 1900**
Cafe and billiards *El Trompezón*, c. 1900

de bienestar económico. La región gozaba de un franco crecimiento generado por el capital de inversores extranjeros, con ambiciosos proyectos basados en la filosofía del desarrollo industrial, tienden redes ferroviarias y expanden su imperio campo adentro. Tierra de hombres a caballo, de gauchos que cercados por el progreso se ven forzados a la aventura de explorar nuevos horizontes en las afueras de Buenos Aires y Montevideo. Por sus habilidades para el manejo del facón, ocupaban puestos en mataderos, graserías y saladeros, garantizándose trabajo permanente y bien remunerado. Traían al hombro su guitarra con el sonido de su terruño y en los versos de sus payadas, las historias de su gente.

De esta manera, los suburbios mutan en zonas urbanizadas en las que un sin fin de idiomas, costumbres y culturas se conjugan bajo la suerte del destino, conformando una extravagante sociedad donde el Tango forjó los inquebrantables cimientos de su vasta historia.

of economic well-being. The region was undergoing an evident growth generated by the capitals placed by foreign investors, who had ambitious projects based on the philosophy of industrial development and who further built railways and expanded their empire towards the indoor country. A land of men on horse and gauchos that, restricted by progress, were forced to explore new horizons in the outskirts of Buenos Aires and Montevideo. Because of their skills in handling the *facón* (large knife), these men worked in slaughterhouses, greasehouses and salting factories, thus assuring permanent and well-paid jobs. They held guitars on their shoulders, carrying the sounds of their lands and, in their songs, the stories of their people.

In such a way, the suburbs turned into urbanized areas where endless languages, customs and cultures combined under the fortune of destiny, creating an extravagant society in which Tango forged the unbreakable foundations of its vast history.

◀ **(P. 14-15) Barrio de La Boca, 1930**
District of La Boca, 1930

El Café Tortoni, en Avenida de Mayo al 800
Cafe Tortoni, at 800 de Mayo Avenue

(P. 17) José Benito Bianquet "El Cachafaz", bailarín de Tango
José Benito Bianquet "El Cachafaz", Tango dancer

◀ **(P. 20-21) Fachada de la tienda y mercería Del Carmen**
Facade of the shop and notions store Del Carmen

Baile popular realizado en la Avenida de Mayo en 1935, de fondo el Café Tortoni
Popular dance carried out in de Mayo Avenue in 1935, Cafe Tortoni at the background

La música

The music

Las Guardias

La evolución del arte es un concepto infinito que trasciende tiempos, estilos y estructuras sociales, su análisis requiere de una profunda mirada a través de su cronología para comprender los argumentos que motivan dicha transformación. El Tango ha heredado mediante sus intérpretes, una continuidad que enlaza cada una de sus etapas y se manifiesta en una serie de vínculos estéticos y humanos que explican su eterna vigencia. Su historia se divide en varios ciclos: Prehistoria, Guardia Vieja, Guardia Nueva, Vanguardia y período Contemporáneo; el verdadero rasgo que distingue a cada uno de ellos no remite a fechas, sino a su tratamiento armónico e instrumental.

El período Prehistórico abarca de 1880 a 1895, significa la etapa de gestación entre la influencia de ritmos europeos y afroamericanos provenientes de la habanera, del tango español y la milonga. La genética del Tango comienza a experimentar un notorio cambio en el que prescinde del sonido negro casi por completo, nace la llamada Guardia Vieja, que se extiende desde 1895 a 1925. La sutileza del ritmo se impone en la melodía, aportando un temperamento único para una inconfundible personalidad sonora que se registra en piezas como: *El entrerriano* (1897) de Rosendo Mendizábal, *El choclo* (1898) de Angel Villoldo, *Rodríguez Peña* (1911) de Vicente Greco, *La cumparsita* (1916) de Gerardo Matos Rodríguez, *La Cachila* (1921) tango de Eduardo Arolas y *A media luz* (1925) de Anselmo Aieta. Las orques-

The Guards

Art evolution is an infinite concept that goes beyond times, styles and social structures. Its analysis demands a deep look into its chronology in order to comprehend the reasons that motivate such a transformation. Through its interpreters, Tango has inherited a continuity that strings together each of its stages and is expressed in a series of aesthetic and human bonds that explain its eternal validity. The history of Tango is divided into several periods: Prehistory, *Guardia Vieja* (Old Guard); *Guardia Nueva* (New Guard), *Vanguardia* (Vanguard) and the Contemporary period. The true feature that distinguishes each of these periods is not time, but rather the harmonic and instrumental features of Tango.

The Prehistoric period is extended from 1880 to 1895 and represents the formation period among the influence of European rhythms, Afro-American rhythms coming from the *habanera*, the Spanish tango and the *milonga*. The genetics of Tango begin to undergo a notorious change in which the African sound is almost completely set aside, thus giving birth to the period called Old Guard, which goes from 1895 to 1925. The subtlety of rhythm is imposed upon the melody, giving a unique temper to an unmistakable sound personality, evidenced in musical works such as: *El entrerriano* (1897) by Rosendo Mendizábal, *El choclo* (1898) by Angel Villoldo, *Rodríguez Peña* (1911) by Vicente Greco, *La cumparsita* (1916) by Gerardo Matos Rodríguez, *La*

◀ **(P. 27) Carlos Gardel "El Zorzal Criollo"**
Carlos Gardel "The Creole Thrush"

Osvaldo Fresedo y su Orquesta Típica
Osvaldo Fresedo and his Typical Orchestra

(P. 29 arriba - 29 abajo) Agustín Magaldi y Pedro Noda | Alberto Castillo, cantor
(P. 29 above - 29 below) Agustín Magaldi and Pedro Noda | Alberto Castillo, singer

tas más importantes eran las de Juan Maglio, Roberto Firpo, Francisco Canaro, Osvaldo Fresedo y Julio De Caro.

Con el Tango cautivando París y aceptado por las selectas familias de la aristocracia argentina, los modestos esquemas compositivos que luce empiezan a estilizarse y el refinamiento se percibe en las armonizaciones basadas en el acompañamiento de bandoneón, violín, contrabajo y piano de la orquesta típica. El inicio de la Guardia Nueva anticipa una era brillante, colmada de nuevos matices y gestos técnicos, que se desarrolla entre 1925 y 1955. La eximia formación académica de músicos como Julio De Caro, Pedro Maffia, Miguel Caló, Osvaldo Pugliese, Juan Carlos Cobián, Aníbal Troilo, Alfredo Gobbi, Carlos Di Sarli, Francisco Canaro y Lucio Demare, resulta vital para el perfeccionamiento de esta nueva estética orquestal que genera un magnífico equilibrio entre el baile, el canto y la música. La aparición de Carlos Gardel marca un hito trascen-

Cachila (1921) tango by Eduardo Arolas and *A media luz* (1925) by Anselmo Aieta. The most important orchestras in the world were the ones by Juan Maglio, Roberto Firpo, Francisco Canaro, Osvaldo Fresedo and Julio De Caro.

While Tango was captivating Paris and being accepted by the select aristocratic families, its modest constituent sketches begin to stylize and this refinement is perceived in the harmonizations based on the accompaniment of *bandoneón*, violin, double bass and piano of the typical orchestra. The beginning of the New Guard, which goes from 1925 to 1955, anticipates a magnificent era, full of new shades and technical gestures. The distinguished academic background of musicians such as Julio De Caro, Pedro Maffia, Miguel Caló, Osvaldo Pugliese, Juan Carlos Cobián, Aníbal Troilo, Alfredo Gobbi, Carlos Di Sarli, Francisco Canaro and Lucio Demare is essential for the perfecting of this new orchestral aesthetics that create a magnificent balance

Julio De Caro con sus músicos
Julio De Caro and his musicians

dental para las efemérides de este arte, el más grande cantor de tangos de todos los tiempos, con su insoslayable huella vocal inaugura una manera de cantar e interpretar las letras que personifica un corte vertical con todo lo pasado, *Mi Buenos Aires querido*, *El día que me quieras*, *Volver* y tantas otras constituyen piezas de un valor testimonial incalculable. De esta época también surgen cantantes como Ignacio Corsini, Agustín Magaldi, Azucena Maizani y Libertad Lamarque, por citar sólo algunos.

Para el Tango, el concepto de Vanguardia no alude a una ruptura con el pasado, sino a la continuidad de la etapa que precedió; se inicia a principios de los '50 y se extiende hasta 1970. Con Astor Piazzolla como exponente máximo, el período representa un extraordinario crecimiento sinfónico que estremece los límites de toda tradición tanguera. Desde la genialidad de su virtuosismo, este incansable explorador de los caminos musicales sedujo al mundo entero con la gozosa heri-

between dance, singing and music. The coming up of Carlos Gardel set a major point in history for the ephemerides of that art; the all-time biggest tango singer, with his inescapable voice mark, inaugurates a way of singing and interpreting the lyrics that creates a cutoff from everything that has passed. *Mi Buenos Aires querido*, *El día que me quieras*, *Volver* and many others constitute works of untold testimonial value. In this period, other singers appear, such as Ignacio Corsini, Agustín Magaldi, Azucena Maizani and Libertad Lamarque, just to mention a few.

For Tango, the concept of Vanguard, which begins in the 50´s and ends in 1970, does not invoke a disconnection with the past, but rather the continuation of the preceding period. With Astor Piazzolla as the maximum exponent, this new period represents an extraordinary symphonic growth that shakes the limits of all tango tradition. From the genius of his virtuosity, this tireless explorer of musical roads seduced the whole

Aníbal Troilo "Pichuco" y su bandoneón
Aníbal Troilo "Pichuco" and his *bandoneón*

▶ **(P. 32) Astor Piazzolla, bandoneonista, compositor y director**
Astor Piazzolla, *bandoneón* player, music composer and director

▶ **(P. 33) Hugo del Carril, cantor, actor y director de cine**
Hugo del Carril, singer, actor and film director

da que el Tango provoca en el alma, entre su vastísima producción se le deben obras como *Nonino*, *Adiós Nonino*, *El desbande*, *Contratiempo*, *Lo que vendrá*, *Tanguísimo*, *Decarísmo* y *Calle 92*, entre otras. Horacio Salgán, Mariano Mores y El Sexteto Mayor pertenecen también a esta fase, quedando sin mencionar varias agrupaciones que formaron parte de la corriente vanguardista.

A los artistas ya consagrados se acoplan jóvenes valores que debutan compartiendo escenarios con las viejas glorias. Los repertorios clásicos se renuevan con la frescura de las nuevas voces, marcando el comienzo del período Contemporáneo. En esta suerte de alianza de generaciones y talentos se destacan por ejemplo Susana Rinaldi, Raúl Lavié, Agustín Carlevaro, Guillermo Fernández y Adriana Varela.

Como una de las principales manifestaciones de la identidad de los habitantes del Río de la Plata, el Tango fue declarado por la UNESCO, en septiembre de 2009, Patrimonio Cultural de la Humanidad.

world with the beautiful wound that Tango causes in the soul. Amid his vast work, we may mention *Nonino*, *Adiós Nonino*, *El desbande*, *Contratiempo*, *Lo que vendrá*, *Tanguísimo*, *Decarísmo* and *Calle 92*, among others. Horacio Salgán, Mariano Mores and El Sexteto Mayor also belong to this period, without mentioning several groups that were part of the avant-garde trend.

Young values join the re-known artists and first appear sharing the scene with the old glories. Classic repertoires are renewed with the freshness of the new voices, indicating the beginning of the Contemporary period. Within this sort of alliance between generations and talents, Susana Rinaldi, Raúl Lavié, Agustín Carlevaro, Guillermo Fernández and Adriana Varela outstand.

As one of the main signs of the identity of the inhabitants of the Rio de la Plata, on September 2009, Tango was declared a Cultural Heritage of Humanity by UNESCO.

◀ **(P. 34-35) Orquesta Típica de Pedro Maffia**
Pedro Maffia´s Typical Orchestra

Angel Vargas, cantante
Angel Vargas, singer

Osvaldo Fresedo, bandoneonista, compositor y director | Libertad Lamarque, actriz y cantante
Osvaldo Fresedo, *bandoneón* player, music composer and director | Libertad Lamarque, actress and singer

Angel Villoldo, uno de los pioneros del Tango | Azucena Maizani, cantante y actriz
Angel Villoldo, one of the pioneers of Tango | Azucena Maizani, singer and actress

Roberto Firpo, pianista, compositor y director | Manolita Poli, actriz y cantante
Roberto Firpo, pianist, music composer and director | Manolita Poli, actress and singer

▶ **(P. 40-41) Orquesta de Julio De Caro**
Julio De Caro's orchestra

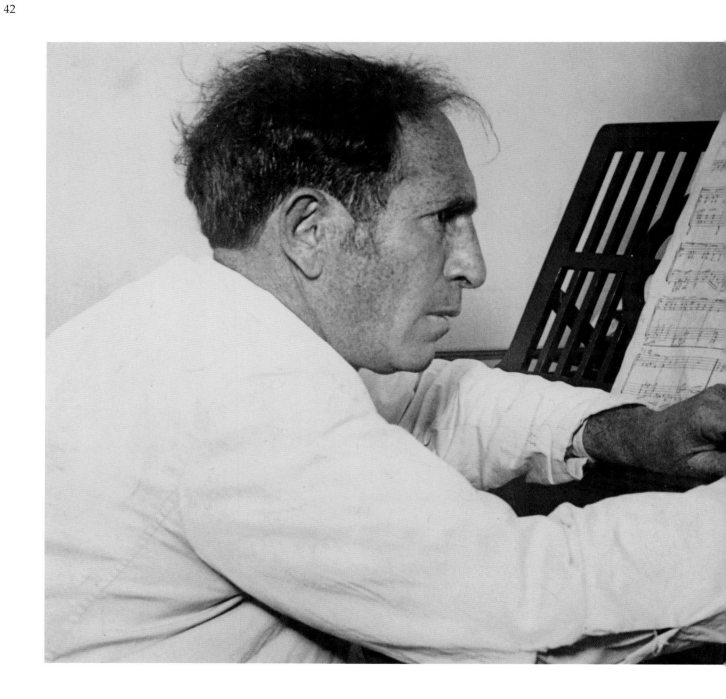

**El músico Juan de Dios Filiberto
en plena composición**
The musician Juan de Dios Filiberto
in full composition

El "Maestro" Osvaldo Pugliese
The "Master" Osvaldo Pugliese

Afredo De Angelis y su Orquesta Típica
Alfredo De Angelis and his Typical Orchestra

▶ **(P. 46-47) Juanjo Domínguez (guitarra) y Julio Pane (bandoneón)**
Juanjo Domínguez (guitar) y Julio Pane (*bandoneón*)

48

Leopoldo Federico en el Teatro Colón
Leopoldo Federico at the Colón Theater

Carlos García al frente de su orquesta | Orquesta Juan D' Arienzo, dirigida por el maestro Carlos Lazzari
Carlos García before his orchestra | Juan D' Arienzo Orchestra, conducted by the master Carlos Lazzari

Mariano Mores, pianista, director y compositor
Mariano Mores, pianist, director y music composer

▶ **(P. 50-51) Adriana Varela, cantante**
Adriana Varela, singer

54

◄ **(P. 54) Portadas de discos:** *Senda Florida* **de Carlos Gardel,** *Bailable y apiazolado* **de Astor Piazzolla,** *Otra vez Pichuco* **por Aníbal Troilo e** *Y vamos ya...* **de Susana Rinaldi**
Record covers: *Senda Florida* by Carlos Gardel, *Bailable y apiazolado* by Astor Piazzolla, *Otra vez Pichuco* by Aníbal Troilo and *Y vamos ya...* by Susana Rinaldi

◄ **(P. 55) Arte de tapa de la partitura del Tango** *El chamuyo* **de Francisco Canaro**
Art cover of the Tango musical score *El chamuyo* by Francisco Canaro

(P. 57) Roberto "El Polaco" Goyeneche, cantor
Roberto "El Polaco" Goyeneche, singer

El baile

The dance

La danza del Tango

En el vertiginoso movimiento las piernas se cruzan, se rozan, parecen besarse, los pies se adelantan y retroceden, se deslizan silenciosos, los cuerpos lucen erguidos en un elegante ritual, mientras las manos se funden en la cautivante tensión del abrazo. De pronto ese mágico clima se paraliza en el corte, un instante de eterna belleza, y todo vuelve a suceder en este juego de pura creatividad. La danza del Tango es como una expresión de libertad que se resume en la repentización de sus bailarines entregándose al ritmo de la melodía. Su estética y su permanente evolución la ubican como una pieza de carácter esencial dentro de este arte.

Su origen se remonta a épocas en que las reuniones se desarrollaban en casas de familia, clubes de barrio, en los bares, cabarets y en las academias. Allí, dónde los músicos acostumbraban interpretar habaneras, tangos andaluces y milongas, el nivel socioeconómico de los concurrentes se encontraba determinado por la categoría del lugar. Desde los inicios, el predominio del espíritu afroamericano se hacía notar por su natural ductilidad para el baile. El gaucho recién llegado de tierra adentro frecuentaba estos circuitos, se acercaba a beber unas copas e intentaba moverse con gracia, pero sólo conocía sus danzas folklóricas. Por medio de imitaciones aproximadas a los pasos y a fuerza de mucho ensayo lograría convertirse en un aceptable bailarín. Era usual ver hombres practicando con otros hombres, de

The Tango dance

In a dizzy movement, the legs intertwine, they rub, they seem to be kissing, the feet move front and back, sliding silently, the bodies look upright in an elegant ritual, whilst the hands are fused in the captivating tension of the embrace. Suddenly, this magical climax is paralyzed in the *corte* (cut), a moment of eternal beauty, and everything happens again in this game of pure creativity. Tango dance is like a sign of liberty that is summarized in the performance of its dancers, who surrender to the rhythm of its melody. Its esthetic and permanent evolution place it as a work of essential character within this art.

Its origin dates from the times when meetings were held in family houses, neighborhood clubs, bars, cabarets and academies. There, where musicians used to play *habaneras*, Andalusian tangos and *milongas*, the social-economic level of the public was determined by the category of the place. From the beginning, the preponderance of the Afro-American spirit stood out due to its natural flexibility for the dancing. The gaucho, just arrived from indoor lands, haunted these places, gathered to have some drinks and tried to move gracefully, but he only knew his folkloric dances. Through imitation of similar steps and by force of practice, the gaucho would become an acceptable dancer. It was normal to see men practicing with other men; this way, they prepared the tricks that would be later displayed before women. From the modifications of those dances,

◀ **(P. 61-62) Bailarines en competencia de Tango Escenario**
Dancers in Stage Tango (*Tango Escenario*) contest

esta forma preparaban los trucos que luego desplegaban ante las mujeres.

De la modificación de aquellas danzas, el Tango bailado comenzaba a formar progresivamente su propia personalidad: el enlace entre la pareja se exageraba, el hombre y la mujer se abrazaban y las variaciones y las destrezas se iban incrementando en figuras heredadas de la cultura europea o de la propia creación de sus ejecutantes. Así surgen figuras como la corrida, la sentada, la vuelta sencilla o complicada, el ocho, la media luna, la tijera, la estrella, el balanceo, la patadita y tantas otras que se improvisan al compás de la música.

A principios del siglo XX el Tango era aplaudido y festejado en París, por aquel entonces había en la capital francesa más de cien academias que enseñaban a bailarlo. Los sectores más cultos y refinados de la Belle Epoque adoptaron el llamado tango liso, un estilo que marcaría un notorio cambio entre el ágil y de vivaces quiebres seguido por los compadritos, a uno más lento

the danced Tango progressively commenced to forge its own personality: the bond between the couple was exaggerated, man and woman embraced and the variations and dexterities evolved in figures inherited from the European culture or from the own creation of its dancers. Thus, some figures emerged, such as the run (*la corrida*), the sit (*la sentada*), the single or complex turn (*la vuelta simple o complicada*), the figure eight (*el ocho*), the half moon (*la media luna*), the scissors (*la tijera*), the star (*la estrella*), the balancing (*el balanceo*), the little kick (*la patadita*) and many others that are improvised to the rhythm of the music.

By the beginning of the 20th Century, Tango was applauded and celebrated in Paris. Back then, there were more than one hundred academies teaching to dance it in the French capital. The more cultured and refined sectors of the Belle Epoque adopted what was known as plain tango (*tango liso*), a style that would make a notorious change from the agile and quick breaks of

En el enlace, el hombre toma de la mano a la mujer con su mano izquierda y la abraza con la derecha
In the link, the man takes the woman by her hand with his left hand and embraces her with his right hand

▶ **(P. 64 arriba-65) Milonga Club Gricel**
   (P. 64 above-65) *Milonga* Gricel Club

▶ **(P. 64 abajo) Milonga en Barrancas de Belgrano**
   (P. 64 below) *Milonga* at Barrancas de Belgrano

64

y acompasado ejecutado en los salones.

La fama ya había golpeado la puerta de los músicos, ahora era el turno de los bailarines: Casimiro Aín, José Giambuzzi "El Tarila", José Ovidio Bianquet, conocido también como "El Cachafaz", Margarita Verdier y "La Parda" Flores fueron algunos de los más reconocidos.

De los primeros concursos de baile organizados por el barón Antonio de Marchi en el Palais de Glace, la danza del Tango ha evolucionado técnicamente de manera asombrosa. En 2003 se organizó el primer Campeonato Mundial de Baile de Tango, Argentina ha sido sede anfitriona en diversas oportunidades y logró obtener el lugar más alto en el podio en varias de sus ediciones.

Con el transcurso del tiempo, esta danza ha sabido adaptarse a las transformaciones sociales y a las diferentes tendencias impuestas por las orquestas. Se mudará de barrio o cambiará de escenarios, pero el corte y la quebrada seguirán eternamente siendo el alma del 2/4.

the *compadritos* to a slower and more cadenced one performed in the saloons.

Fame had already knocked the musicians' door; now it was the time for the dancers: Casimiro Aín, José Giambuzzi "El Tarila", José Ovidio Bianquet, also known as "El Cachafaz", Margarita Verdier and "La Parda" Flores were some of the most well-known artists.

From the first dance competitions organized by Baron Antonio de Marchi in the Palais de Glace, Tango dance has technically evolved in an astonishing manner. In 2003, the first Tango Dance World Championship was held. Argentina has hosted this event in many opportunities and has managed to obtain the highest position in the podium in many of its editions.

During the course of time, this dance has learned to adapt to social changes and to the different trends imposed by the orchestras. It may change neighborhoods and scenarios, but *el corte y la quebrada* will always remain the soul of 2/4.

◀ **(P. 66-67) Detalle de un paso de baile**
Details of a dance step

(P. 68) Carlos Copello y Jorgelina Guzzi en la Tango Escuela Carlos Copello
Carlos Copello and Jorgelina Guzzi in the Carlos Copello Tango School

Pareja de baile en tanguería La Ventana
Dance couple in the *tanguería* La Ventana

◄ **(P. 70-71) Categoría Tango Escenario en Campeonato Mundial de Baile de Tango, Argentina 2006**
Stage Tango Category (*Tango Escenario*) in the Tango Dance World Championship, Argentina 2006

El hombre siempre fija la mirada en su compañera mientras bailan
The man always stares at his partner when dancing

(P. 74-75) Secuencia de una coreografía de baile
Sequence of a dance choreography

▶ **(P. 76-77) Milonga porteña**
Milonga porteña

Escena de baile en el show de la tanguería Esquina Carlos Gardel, barrio del Abasto
Dance scene in the show of the *tanguería* Esquina Carlos Gardel, district of Abasto

La destreza de las figuras es uno de los aspectos más importantes en la especialidad de Tango Escenario
The dexterity of the figures is one of the most important aspects in the specialty of Stage Tango (*Tango Escenario*)

▶ **(P. 84-85) Festival Buenos Aires Tango**
Buenos Aires Tango Festival

◄ **(P. 86-87) Mora Godoy en el Teatro Colón, de fondo Leopoldo Federico, Walter Ríos y el Sexteto Mayor**
Mora Godoy in the Colón Theater; at the background: Leopoldo Federico, Walter Ríos and the Sexteto Mayor

(P. 89) La sensualidad de la danza del Tango se manifiesta en la expresión de los bailarines
The sensuality of Tango dance is shown through the expressions of the dancers

El Tango y la ciudad

Tango and the city

Mi Buenos Aires querido

Bajo el último aliento de luz que el farolito de la esquina regala, el Tango refleja su alma de arrabal, su patria es el barrio que en su geografía esconde la conmovedora historia de un pueblo. Porteño de ley y testigo social de episodios imborrables, expresa en sus letras la esencia cultural de Buenos Aires, allí ha nacido, crecido y se ha desarrollado como arte en toda su magnitud.

La estrecha relación que el Tango mantiene con su ciudad se inició en los suburbios, en barrios humildes del sur como La Boca, San Telmo, Barracas y Montserrat; de ese entorno absorbió los genes que dieron forma a su identidad. Los conventillos de aquellas zonas consistían un verdadero crisol de razas, lenguajes y tradiciones, de donde el Tango nutría su poesía. Para fines del siglo XIX era común encontrar surcando las calles a los organitos o pianos mecánicos. Empujados por organilleros o montados en carros tirados por caballos, eran convocados para tocar las melodías de los Tangos más populares en casas de familia, prostíbulos o plazas. Mientras el sonido del Tango se propagaba, las mesas de los cafés Royal, El Griego, El Argentino, El Café de la Popular, La Marina, La Taquera, La Luna y Las Flores resultaban ser ilustres espectadores de la composición de muchas estrofas, ahí los primeros artistas profesionales se codearon con la fama.

A medida que el Tango era aceptado en los locales de la clase media, su núcleo de acción se extendía a

My beloved Buenos Aires

Under the last flash of light offered by the lamplight, Tango reflects its soul of *arrabal*; its homeland is the neighborhood that within its geography hides the moving story of a town. *Porteño* by law and social witness of inerasable episodes, in its lyrics it shows the cultural essence of Buenos Aires, where it was born, has grown and developed as an art to its full extend.

The close relation that Tango has with its city began in the suburbs, in humble districts such as La Boca, San Telmo, Barracas and Montserrat; from these sectors it absorbed the genes that forged its personality. The *conventillos* of that area constituted a real mixture of races, languages and traditions, from which tango nourished its poetry. By the end of the 21st Century, it was common to find little organs or mechanic pianos sailing through the streets. Pushed by organ grinders or placed in carts pulled by horses, they were summoned to play the melodies of the most popular tangos in family houses, brothels and squares. While the sound of Tango spread, the tables of the cafes Royal, El Griego, El Argentino, El Café de la Popular, La Marina, La Taquera, La Luna and Las Flores were important witnesses of the creation of many strophes, where the first professional artists were in the company of fame.

As Tango was accepted by middle-class premisses, its core of action moved to other places. In La Paloma bar, Villa Crespo, figures of the level of Juan Maglio

◄ (P. 93) **Estatua viviente en San Telmo**
Living statue in San Telmo

Monumento a Carlos Gardel, barrio del Abasto
Carlos Gardel Monument, district of Abasto

otras barriadas, en el bar La Paloma, en Villa Crespo, se presentaban figuras de la talla de Juan Maglio o Paquita Bernardo. En Palermo, los amplios jardines del Hansen convocaban a los mejores músicos y cantores, que cautivaban las noches de un público conformado mayormente por ganaderos, hombres del turf, compadritos y mujeres de vida ligera. El Armenonville era un sitio de gran categoría que se distinguía del resto de los reductos, ubicado en avenida Alvear y Tagle, era el lugar elegido por los sectores de elevada condición económica. Se inauguró en 1913 con la actuación de Vicente Greco y en numerosas ocasiones presentó al dúo Gardel-Razzano.

Hacia 1910 las orquestas emprendieron un éxodo que las trasladó hacia los bares, teatros y cabarets del centro de la ciudad. La calle Corrientes, angosta por aquel entonces, y sus adyacencias adoptaron la bohemia vocación tanguera y se convirtieron en una gran vidriera artística. Algunos sitios que tuvieron su apogeo fue-

or Paquita Bernardo were presented. In Palermo, the extensive gardens of Hansen gathered the best musicians and singers, who captivated the nights of a public composed of, mainly, cattlemen, turf men, *compadritos* and women of easy virtue. The Armenonville was a high-category place that was distinguished from other places, located at Alvear Avenue and Tagle Street, and it was the choice of sectors of high economic status. It opened in 1913 with the performance of Vicente Greco and, in many occasions, the duet Gardel-Razzano was presented.

In 1910, the orchestras embarked in an exodus to bars, theaters and cabarets of the downtown city. The Corrientes street, narrow by that time, and its adjacent streets adopted the bohemian *tanguera* vocation and became a big artistic showcase. Some of the places that reached their highest point were: La Helvética, Gerard, Richmond, the Bar Castilla where Augusto P. Berto played his music, cafe Iglesias, in Los Andes, where Francisco

Pareja de baile en plaza Dorrego, San Telmo
Dance couple in Dorrego square, San Telmo

▶ **(P. 96) Hombre de Tango en San Telmo**
Tango man in San Telmo

▶ **(P. 97) Espectáculo de Tango "a la gorra" en la peatonal Florida**
Tango show *"a la gorra"* (voluntary payment) in the pedestrian zone of Florida Street

ron: La Helvética, Gerard, Richmond, el Bar Castilla donde tocó Augusto P. Berto, el café Iglesias, en Los Andes, Francisco y Emilio De Caro interpretaron sus obras y en La Giralda lo hizo Anselmo Aieta.

La población se acrecentaba y Buenos Aires ostentaba una nueva fisonomía, una impronta de estilos y costumbres provocó el ocaso de muchos de aquellos bares, sin embargo el Tango supo hallar su refugio con la aparición de las tanguerías. Cambalache surgió en 1960 como la primera, más tarde vinieron Caño 14, con Aníbal Troilo como padrino; Astor Piazzolla encontraba en Gotán los espacios propicios para su música y El Viejo Almacén, en Balcarce al 700, fue escenario de personalidades como Horacio Salgán, Ciriaco Ortíz, María Cristina Laurenz y Horacio Ferrer.

El paso del tiempo, el intercambio generacional y el arraigo de la cultura porteña hacen de Buenos Aires el hogar del Tango y lo proyectan al mundo desde cada rincón de la ciudad.

y Emilio De Caro performed their work and La Giralda where Anzelmo Aieta did.

The population grew and Buenos Aires displayed new features; a mark of styles and customs caused the downfall of many of those bars. Still, Tango managed to find its refuge with up-coming *tanguerías*. Cambalache opened in 1960 as the first one; later Caño 14 appeared with Anibal Troilo as its godfather; Astor Piazzolla found in Gotán the adequate spaces for his music and El Viejo Almacén, at 700 Balcarce Street, were the stage for artists such as Horacio Salgán, Ciriaco Ortíz, María Cristina Laurenz and Horacio Ferrer.

The passing of time, the generation exchange and the settle-down of the *porteña* culture make Buenos Aires the home of Tango and show it to the world from each corner of the city.

◄ **(P. 98-99) Puente Nicolás Avellaneda, La Boca**
Nicolás Avellaneda bridge, La Boca

(P. 100-101) Caminito, La Boca
Caminito, La Boca

(P. 102-103) Partido de fútbol en la canchita del barrio, La Boca | Detalles de fachadas, La Boca
Football match in the neighborhood playfield, La Boca | Details of facades, La Boca

▶ **(P. 104-105) Salón principal del Café Tortoni, fundado en 1858**
Main room of Cafe Tortoni, founded in 1858

(P. 106-107) Artistas callejeros en Plaza Francia, Recoleta
Street artists in Plaza Francia, Recoleta

▶ **(P. 108-109) Murales en el frente de Sanata Bar, Almagro**
Murals at the front of Sanata Bar, Almagro

◄ **(P. 110-111) Vista antigua y actual de El Viejo Almacén en Balcarce al 700, San Telmo**
Old and actual sight of El Viejo Almacén at 700 Balcarce Street, San Telmo

(P. 112-113) El barrio de San Telmo aún conserva su antigua arquitectura
The district of San Telmo still keeps its old architecture

► **(P. 114-115) Esquina Homero Manzi, barrio de Boedo**
Homero Manzi square, district of Boedo

◀ **(P. 116-117) Avenida Corrientes, de fondo el Obelisco**
Corrientes Avenue, the Obelisco at the background

(P. 119) Café Tortoni
Cafe Tortoni

El Tango y el arte

Tango and art

Arte de arrabal

Contemplar una obra de arte es como un viaje a través del corazón de su creador, es el retrato de su alma con paisajes que expresan amores, odios, tristezas y alegrías. Los colores de una pintura, las formas de una escultura o la melodía de una canción custodian secretos que revelarán sólo a quien se entregue de manera sensible a desentrañar el mensaje de su autor. En ese mágico intercambio es posible detenerse en el tiempo y comprender los valores estéticos, culturales y sociales que motivaron su concepción.

El Tango ha sido fuente de inspiración creativa para brillantes artistas que basaron sus propias obras en su baile, su melodía o en su lírica. Desde fines del siglo XIX las artes plásticas han estado ligadas al Tango a partir de los trabajos que decoraban las portadas de sus partituras, con gran influencia del Art Nouveau, la abundancia de colores y tipografías exageradas ambientaban llamativamente las ediciones. Pintores como Pedro Figari, Alberto Rossi y Guillermo Facio Hebecquer han sido precursores en reproducir la temática tanguera. Juan Carlos Castagnino, Antonio Berni y Hermenegildo Pastor universalizaron el espíritu del Tango en cuadros de carácter sublime.

Otro de los emblemas artísticos que esta música atesora es el "filete porteño", autóctono de Buenos Aires, que adquirió gran popularidad al ornamentar los carros y vehículos de transporte público que recorrían la metrópoli. Pájaros, dragones, flores de cinco pétalos

Arrabal art

To contemplate a work of art is like tripping through the heart of its creator, it is the picture of his soul with landscapes that depict love, hate, sadness and joy. The colors of a painting, the shapes of a sculpture or the melody of a song keep secrets that will only be revealed to those who sensitively surrender to figure out the message of the author. In this magic interchange, it is possible to stop time and understand the aesthetic, cultural and social values that moved the author's conception.

Tango has been source of creative inspiration to brilliant artists that based their own work on its dance, melody and lyrics. As from the end of the 21st Century, plastic arts have been linked to Tango in the works that decorated the covers of its musical scores, which were heavily influenced by Art Nouveau; plenty of colors and exaggerated typography strikingly set the releases. Painters such as Pedro Figari, Alberto Rossi and Guillermo Facio Hebecquer have been the pioneers in reproducing the tango theme. Juan Carlos Castagnino, Antonio Berni and Hermenegildo have universalized Tango's spirit in sublime paintings.

Another artistic emblem that this music treasures is the "filete porteño" (type of artistic drawing), originally from Buenos Aires, which became very popular when adorning carts and public transport vehicles that went through the metropolis. Birds, dragons, five-petal flowers and acanthus leaves are typical elements of its

◀ **(P. 123)** *Mi Buenos Aires Querido* **de Martiniano Arce, 1998**
Oleo sobre metal, 0,60 x 0,80 m.

My Beloved Buenos Aires by Martiniano Arce, 1998
Oil painting on metal, 0.60 x 0.80 m.

(P. 124) *La orquesta típica, 1940/75* **por Antonio Berni**
Oleo sobre tela 198 x 290 cm.
Colección Museo Nacional de Bellas Artes, Buenos Aires

The typical orchestra, 1940/75 by Antonio Berni
Oil painting on canvas 198 x 290 cm.
National Museum of Fine Arts Collection, Buenos Aires

y hojas de acanto son elementos característicos de sus ilustraciones. Martiniano Arce y Jorge Muscia son dos altos exponentes del fileteado.

La poesía y la literatura argentina mantienen una estrecha relación con el Tango, que se manifiesta en la alianza gestada entre poetas y compositores. Pedro B. Palacios "Almafuerte", Evaristo Carriego, Enrique Cadícamo, Celedonio Flores, José González Castillo, Horacio Ferrer y Ricardo Güiraldes se sumergen en el mundo del arrabal y del compadrito para imprimir al vuelo literario de sus versos la crudeza de una realidad social.

Las propiedades histriónicas del Tango lo convierten en un actor principal de la dramaturgia nacional, su sintaxis y la terminología que emplea, pronunciados en sainetes y zarzuelas, aluden al inicio de esta relación. Enrique Santos Discépolo, destacado poeta, autor y actor, lograba crear un vínculo especial con su público, al que llegaba con piezas de alto valor intelectual

Espectador colaborando con un artista callejero
Spectator collaborating with street artist

▶ **(P. 126 arriba)** *Figuras de tango: Cadencia,* **pintura de Sigfredo Pastor**
(P. 126 above) *Tango figures: Cadence,* painting by Sigfredo Pastor

▶ **(P. 126 abajo) Mural del artista Hugo Castro, barrio de San Telmo**
(P. 126 below) Mural by the artist Hugo Castro, district of San Telmo

drawings. Martiniano Arce and Jorge Muscia are two major artists of the *fileteado*.

Argentine poetry and literature are closely related to Tango, which is expressed in the alliance between poets and music composers. Pedro B. Palacios "Almafuerte", Evaristo Carriego, Enrique Cadícamo, Celedonio Flores, José González Castillo, Horacio Ferrer and Ricardo Güiraldes dived into the word of the *arrabal* and the *compadrito* in order stamp over the literary flight of its verses the roughness of a social reality.

The histrionic features of Tango turn it into one of the main actors of the local dramatic art. Its syntax and the terminology it uses, expressed in vignettes and zarzuelas, refer to the beginning of this relation. Enrique Santos Discépolo, a remarkable poet, author and actor, managed to create a special bond with his audience, whom he reached through works of high-intellectual value by using street language. Other authors that included Tango in their representations were Enrique

mediante el empleo del lenguaje utilizado en la calle. Enrique García Velloso, José Antonio Saldías y Valentín de Pedro fueron otros autores que incluyeron el Tango en sus representaciones.

Con Carlos Gardel como protagonista de los primeros cortos sonoros, el Tango llegó a la pantalla grande. Se produjeron las primeras películas con argumentos porteños a cargo de directores como Leopoldo Torres Ríos, Agustín Ferreyra, y Manuel Romero. Con las actuaciones de Libertad Lamarque, Charlo, Azucena Maizani, Hugo del Carril, Tito Lusiardo y Tania se estrenaron durante la década del '30 varios filmes: *Así es el tango, Los muchachos de antes no usaban gomina, Tres anclados en París, Los tres berretines* y *Radio Bar*, entre otras.

El Tango también ha inspirado coreografías de ballet clásico. Julio Bocca, Maximiliano Guerra e Iñaki Urlezaga, bailarines argentinos reconocidos mundialmente, han impuesto a las figuras de la danza del Tango una estética fina y de elevada creatividad.

García Velloso, José Antonio Saldías and Valentín de Pedro.

With Carlos Gardel as the main character of the first sound short films, Tango reached the big screen. The first film with *porteño* plots were produced by directors such as Torres Ríos, Agustín Ferreyra, and Manuel Romero. With the performance of Libertad Lamarque, Charlo, Azucena Maizani, Hugo del Carril, Tito Lusiardo and Tania, many films were released during the 30's: *Así es el tango, Los muchachos de antes no usaban gomina, Tres anclados en París, Los tres berretines* and *Radio Bar*, among others.

Tango has also inspired choreographies of classical ballet. Julio Bocca, Maximiliano Guerra and Iñaki Urlezaga, Argentine dancers re-known worldwide, have imposed delicate and high-creativity aesthetics to the figures of Tango dance.

◀ **(P. 127) Mural perteneciente al proyecto Camino de los Murales. Autor: Bruno A. Lo Coco Barrio de Constitución**
Mural of the project Road of the Murals
(*Camino de los Murales*) Author: Bruno A. Lo Coco
District of Constitución

Maximiliano Guerra y sus alumnos en una clase de Tango
Maximiliano Guerra and his pupils in a
Tango lesson

Carlos Gardel en una escena del film *Cuesta abajo*
Carlos Gardel in a scene from the film *Cuesta abajo*

Alberto Castillo y María Concepción Cesar en *La barra de la esquina*, 1950
Alberto Castillo and María Concepción Cesar in *La barra de la esquina*, 1950

Afiches de películas *Tango* y *Besos brujos*
Film posters of *Tango* and *Besos brujos*

Afiches de películas *Cita en la frontera* y *Alma de bohemio*
Film posters of *Cita en la frontera* and *Alma de bohemio*

▶ **(P. 134-135) El artista Alejandro G. Cerletti dibujando**
The artist Alejandro G. Cerletti drawing

(P. 136-137) *Buenos Aires de ayer y de hoy - Nº 15,* **pintura de Sigfredo Pastor**
Bajorrelieve alusivo al Tango por V. Walter (1976) en La Boca
Now and yesterday´s Buenos Aires – Nº 15, painting by Sigfredo Pastor
Bas-relief regarding Tango by V. Walter (1976) in La Boca

▶ **(P. 138-139)** *Chan Chan* **de Laura Pascual |** *2 x 4* **de Beba Soulas (2009)**
Chan Chan by Laura Pascual | *2 x 4* by Beba Soulas (2009)

Proyecto Tango Abasto / Arte Público
Autor: Marino Santa María
Ayudantes: JJ. Abba, W. Aravenis, M. Romuzzi
Tango Abasto Project / Public Art
Author: Marino Santa María
Assistants: JJ. Abba,, W. Aravenis, M. Romuzzi

▶ **(P. 142-143)** *Tango (La bailarina y el pintor con*
bandoneón) **de Martiniano Arce, 2004**
Oleo sobre madera, 2 x 1 m.
Tango (The dancer and the painter with the
bandoneón) by Martiniano Arce, 2004
Oil painting on wood, 2 x 1 m.

Créditos fotográficos | Photograph credits

Ariel Mendieta: fotos pág. 24, 48 derecha abajo, 63, 69, 72-73, 82, 90, 94, 95, 96, 98-99, 100 abajo izquierda y abajo derecha, 102, 103, 104-105, 106, 108-109, 119, 120, 126 abajo, 127, 137, 140-141; **Nicolás Foong:** foto pág. 134-135; **Archivo General de la Nación:** fotos pág. 6, 9, 10, 11, 14-15, 16, 17, 18, 19, 20-21, 23, 27, 28, 29 arriba y abajo, 30, 31, 32, 33, 34-35, 36, 37 izquierda y derecha, 38 izquierda y derecha, 39 izquierda y derecha, 40-41, 42-43, 44, 45, 57, 130; **Museo de la Ciudad:** fotos pág. 12, 13; **Museo del Cine:** 131, 132 izquierda y derecha, 133 izquierda y derecha.

Agradecimientos | Acknowledgements

Personal del Departamento de Documentos Fotográficos del Archivo General de la Nación, Marta Alicia López, Obel Libros, Mariana Frega Altamirano, Rodrigo Carretero, Cecilia E. Olivero, Cecilia Favaro de tanguería La Ventana, Alejandro Stilman y especialmente a Roberto Canelo, Valeria Eguía, Carlos Copello, Jorgelina Guzzi, Martiniano Arce y Susana Lisotti.

Tango
Primera edición
Marzo de 2010

Impreso en Mundial S.A
Buenos Aires - Argentina